ネコの歯と舌

　おとなのネコには、30本の歯があります。切歯（門歯）は上下に各6本あり、獲物の毛やハネをむしるのに使います。するどい犬歯は上下に各2本あり、これで獲物にとどめをさします。臼歯（前臼歯・後臼歯）は上下あわせて14本あり、肉をかみ切るときに使います。ヒトのように、歯ですりつぶしたりかみくだいたりするのではなく、獲物は飲みこめる大きさにかみ切って、丸飲みします。

　ネコの舌には「糸状乳頭」と呼ばれる突起があり、ざらざらしています。この突起は、毛づくろいをするときのブラシや、骨から肉をそぎとるためのスプーンのはたらきをします。

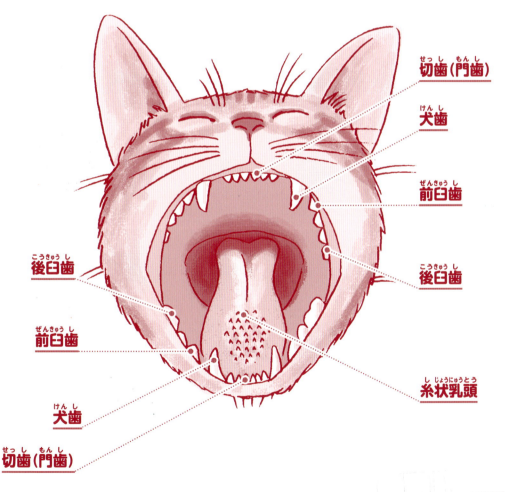

なぜ？どうして？ ペットのなぞにせまる

にゃんともいえない！ ネコのふしぎ ①

今泉 忠明 監修
小野寺 佑紀 著

ミネルヴァ書房

はじめに

ネコはこんな生き物

ネコ科は8つに分けられる

　しなやかなからだをもち、ツメを出し入れできて、狩りをする動物。このような特徴を備えているのがネコのなかま（ネコ科）です。ネコ科には、35〜41種のネコがふくまれます。

　現在、ネコ科は大きく8つの系統に分けるのが一般的です。ヒョウ系統には、ライオンやトラのような大型のネコがふくまれています。それ以外の7系統は、中・小型のネコです。私たちヒトとともにくらす飼いネコは、イエネコ系統に属しています。

　大型のネコのうち何種かは、うなり声を出せますが、ゴロゴロ声は出せないという特徴があります。一方、中・小型のネコは、ゴロゴロ声は出せますが、うなり声は出せません。このようなちがいはありますが、そのほかの点ではネコ科の動物はどれも多くの共通点をもっています。ライオンは「百獣の王」としてサバンナの頂点に立つ動物ですが、よく見ていると、飼いネコとよく似たしぐさをすることも多いのです。

ネコはなにをいいたいの？

　野生のネコ科動物は、長い時間観察をしていても、声を上げて鳴くことがほとんどないそうです。それにくらべて、飼いネコはよく鳴きます。飼いネコの鳴き声を聞いてもらう実験をしたところ、飼い主であれば、その鳴き声がなにを意味しているかがわかることが多い、という結果が得られました。飼いネコがよく鳴くのは、ヤマネコがヒトに飼われるようになり、親しみのあるかわいいネコが好まれたことから、おとなになっても子ネコのようによく鳴くものが選ばれたためでしょう。

　ヒトに飼われているネコは、ヒトの注意を引いたり、なにかを要求したりするために、よく鳴き、また鳴き声を使い分けるようになっているようです。ネコの言葉には共通点があるのか、それともネコによって言葉がちがうのか、現在研究が進められています。将来、飼い主もネコ語を勉強して、ネコと会話ができる日がくるかもしれません。

ネコ科の8系統

イエネコ系統
ネコ科ネコ属のネコたち。イエネコ（飼いネコともいう）や、その祖先であるリビアヤマネコなどがふくまれる

ベンガルヤマネコ系統
ベンガルヤマネコやマヌルネコなど、おもにアジアでくらす小型のネコのなかま

ピューマ系統
ピューマやチーターをふくむなかま。チーターは、地上でもっとも速く走る動物として知られている

オオヤマネコ系統
かざり毛のついた耳と、短い尾が特徴のネコのなかま。3種のオオヤマネコとボブキャットがふくまれる

オセロット系統
ネコ科オセロット属のネコたち。オセロットやマーゲイなどがふくまれる。アメリカ大陸でくらしている

カラカル系統
カラカルとアフリカゴールデンキャット、サーバルの3種がふくまれる。カラカルは耳の長いかざり毛が特徴

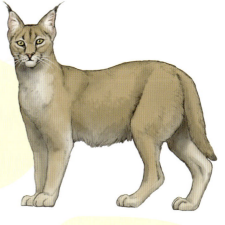

ボルネオヤマネコ系統
ボルネオヤマネコとアジアゴールデンキャット、マーブルキャットの3種がふくまれる。森でくらすネコたち

ヒョウ系統
ヒョウやライオン、トラなど大型のネコ科動物がふくまれる。「ビッグ・キャット」と呼ばれる

3

なぜ？どうして？ペットのなぞにせまる ❶ にゃんともいえない！ネコのふしぎ　**もくじ**

はじめに　ネコはこんな生き物 …………………………… 2

第1章　ネコとヒトのつながり

古代エジプトのネコ …………………………… 6

戦争に使われたネコ …………………………… 8

魔女と黒ネコ …………………………… 10

化けネコ伝説 …………………………… 12

招きネコ …………………………… 14

第2章　ネコのふしぎ大研究！

からだのふしぎ …………………………… 16

動きのふしぎ …………………………… 18

くせのふしぎ …………………………… 20

くらしのふしぎ …………………………… 22

元気のふしぎ …………………………… 24

第3章　世界のネコ大集合！

日本とアジアのネコ① …………………………… 26

日本とアジアのネコ② …………………………… 28

アメリカのネコ …………………………… 30

イギリスのネコ …………………………… 32

世界のネコ① …………………………… 34

世界のネコ② …………………………… 36

さくいん …………………………… 38

この本の見方

この本は、古くから私たちヒトとくらしてきたネコについて、
「ネコとヒトのつながり」「ネコのふしぎ大研究！」「世界のネコ大集合！」の
3章構成で解説しています。

第1章 ネコとヒトのつながり

今から1万年以上前からではないかと考えられるネコとヒトのつながりについて、楽しい絵と文章で学べます。

第2章 ネコのふしぎ大研究！

ペットとしてネコを飼うために、知っておきたいネコのふしぎについて、イラストと文章で解説しています。

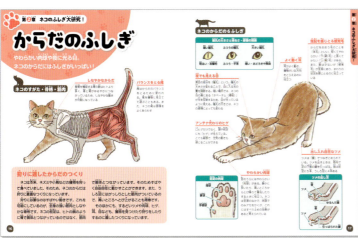

第3章 世界のネコ大集合！

ペットとしてのネコは、世界各地で品種育成されています。そのなかの代表的な品種を、イラストと文章で解説しています。

品種名

データ
体重（おとなのネコ）と特徴・性格などを解説しています。

イラスト
ネコの特徴や性格を、楽しいイラストで表現しています。

第1章 ネコとヒトのつながり

古代エジプトのネコ

古代エジプトでは、農民から王までが、ネコをこよなく愛しました。

ネコとくらす古代エジプトの人びと（想像図）

第1章 ネコとヒトのつながり

イエネコの起源はリビアヤマネコ

現在、世界中で飼われているさまざまな種類のネコ（イエネコ・飼いネコ）は、すべて「リビアヤマネコ」という野生のネコ科動物の子孫だと考えられています。

ネコとヒトがいっしょにくらすようになったのは、西アジアからエジプト周辺が最初だと考えられています。そしてその時期は、ヒトが狩猟生活から農耕生活に移った約1万2000年前ごろではないかという説があり、約1万年前の墓からは、ヒトの骨といっしょにネコの骨も見つかっています。

古代エジプトでは、ナイル川周辺の豊かな大地で農耕が発達しました。収穫した作物を保管しておくと、そこへネズミがやってきて、このネズミを目当てにネコが集落へやってきます。そしてこのネコを飼うようになったのが、イエネコのはじまりだと考えられています。

古代エジプトの人びとは、ネコをこよなく愛しました。農民から王まで、ネコとのくらしを楽しんでいたようです。そのようすは、エジプトの墓の壁画に描かれています。また、飼っていた大切なネコが亡くなると、死後の世界や来世でもくらしていけるように、ミイラにして埋葬することがありました。

7

戦争に使われたネコ

ネコを愛するエジプト人に対する作戦とは！？

動物を盾にしてエジプトを攻撃するペルシア兵（想像図）

第 1 章 ネコとヒトのつながり

カンビュセス王の作戦

　ネコをこよなく愛したエジプト人ですが、それがあだになってしまったという言い伝えがあります。
　今から約2500年前、現在のイラクやアフガニスタンがある中東地域を広く支配していたのは、アケメネス朝ペルシアという王国でした。しかしそのペルシアも、カンビュセス2世が王になったとき、近くの国ではエジプトだけが支配できていませんでした。
　紀元前525年、カンビュセス王はエジプトに攻撃をしかけます。するとエジプト人は多くの兵を集めて、とりでから矢や石、火などを放ち、ペルシアを撃退しようとしました。
　そこで王は、かれらの反撃に対する思いもよらない方法を考えつきました。ペルシア兵の前列に、エジプト人が愛するネコやイヌ、ヒツジなどの動物をならべたのです。するとかれらはこの動物たちを傷つけることをおそれ、ただちに攻撃をやめました。こうしてカンビュセス王はエジプトを支配したのです。

9

魔女と黒ネコ

中世ヨーロッパでは、ネコは魔女の使いとして迫害されました。

魔女狩りの群衆に取り囲まれる女性と黒ネコ(想像図)

第 1 章 ネコとヒトのつながり

ネコにとって暗黒の時代

　古代エジプトではじまった「ネコを飼う」という文化は、その後世界中へ広まりました。
　ヨーロッパのネコに暗黒時代がおとずれるのは、当時のキリスト教徒がその勢力を広げはじめてからです。かれらは、キリスト教以外の宗教を信じる人たちのことを、女性は「魔女」、男性は「魔法使い」として迫害したといわれています。このできごとは「魔女狩り」と呼ばれ、ネコ、とくに黒ネコは、魔女の使いや魔女が化けたすがただとされました。ネコは夜に出歩くことや、足音を立てずに歩くことなどから、魔女と結びつけて考えられたのでしょう。

　ヨーロッパで魔女狩りが盛んにおこなわれたのは、14～18世紀のことです。この間、多くの魔女と魔法使い、そしてネコが迫害を受け、大変ざんこくな方法で処刑されています。
　14世紀には、世界中でペスト*が大流行しました。これはネズミに寄生するノミが運ぶ病気です。ヨーロッパも例外ではなく、少なくとも3人に1人が亡くなったといわれています。このとき、ネズミ退治に役立つネコの迫害を休止しようという動きもあったようですが、実際には18世紀ごろまでつづけられました。

*ペスト：ペスト菌による感染症。ヒトに感染すると亡くなることが多く、「黒死病」と呼ばれておそれられた

化けネコ伝説

日本では、鎌倉時代からネコマタの伝説が知られていました。

ネコマタと鍋島の化けネコ騒動

日本では昔から、「年をとったネコは化ける」と信じられてきました。また、化けたネコの尾はふたまたに分かれることから、化けネコのことを「ネコマタ」と呼びました。

ネコマタのことが書かれたもっとも古い書物は、鎌倉時代に藤原定家が書いた『明月記』という日記です。「目はネコだが、からだはイヌのように大きな化け物が、夜になるとヒトをおそう」という話です。

その後もネコマタに関する話や絵がたくさん残されてきましたが、それらに共通するのは、からだが大きいこと、おどったりしゃべったりすること、そしてヒトを食べてそのヒトに化けることです。行灯*の油をなめるのもネコマタ

*行灯：江戸時代に広まった、油を入れた皿と火をつける芯を箱に入れた照明器具

第①章 ネコとヒトのつながり

尾が2つに分かれたネコマタに化けて藩主をおそう「こま」(想像図)

がよくやることです。

江戸時代のネコマタの話に『鍋島の化けネコ騒動』があります。佐賀藩(現在の佐賀県と長崎県の一部)の藩主・鍋島光茂は、家来の龍造寺又七郎の首を落としてしまいます。又七郎の母はなげき悲しみ、「こま」という飼いネコにうらみをたくして自害*します。こまは、又七郎の母の血をなめてネコマタとなり、鍋島家にさまざまなたたりをおこすのですが、さいごは藩主の家来によって退治されてしまうのです。

このネコマタの話はつくられたものですが、鍋島家と龍造寺家の間で争いがあったことは事実のようです。そしてこの『鍋島の化けネコ騒動』は、歌舞伎などで演じられ、江戸時代に大ヒットしました。

*自害:自分で自分の命を絶つこと

13

招きネコ

招きネコは、貧しい寺に福をもたらした白ネコがモデルだった！？

大名を招き入れた白ネコ

招きネコは、江戸時代に誕生したといわれています。由来はいくつかあるようですが、ここでは豪徳寺の伝説を紹介しましょう。

東京の世田谷区には、豪徳寺という寺があります。この寺は昔、弘徳寺という名前で、有名でもなく、どちらかといえば貧しい寺でした。

今からおよそ370年前ごろ、井伊直孝という大名が、タカ狩りの帰りにこの弘徳寺の前を通りかかりました。折しも激しく雨が降りはじめたところでした。すると、寺の中から白ネコが1匹あらわれて、手招きをしたのです。ネコにさそわれるように寺の中へ入った直孝は、雨宿りができたことを喜び、またこの寺の和尚と知り合いになれたことに感激しました。そして、

第 1 章 ネコとヒトのつながり

井伊直孝をさそうように手招きする白ネコ(想像図)

この寺を井伊家の菩提寺*としたのです。
　直孝が亡くなると、弘徳寺は豪徳寺と名前を変え、井伊家に支えられて江戸でも有名な寺になりました。そして、そのきっかけとなった白ネコが亡くなったときには、塚がつくられました。この塚には、右手をあげた白ネコの像が供えられるようになり、寺はこのネコの像を「招福猫児」と呼びました。
　豪徳寺の招きネコは右手をあげていて、「福を呼ぶ」とされています。一方、左手をあげる招きネコは「客を招く」とされています。小判を持っていることも多く、今では商売をする人たちが店先に置いているのをよく見かけます。

*菩提寺：先祖代々の墓のある寺

15

第2章 ネコのふしぎ大研究！

からだのふしぎ

やわらかい肉球や夜に光る目。
ネコのからだにはふしぎがいっぱい！

ネコのすがた・骨格・筋肉

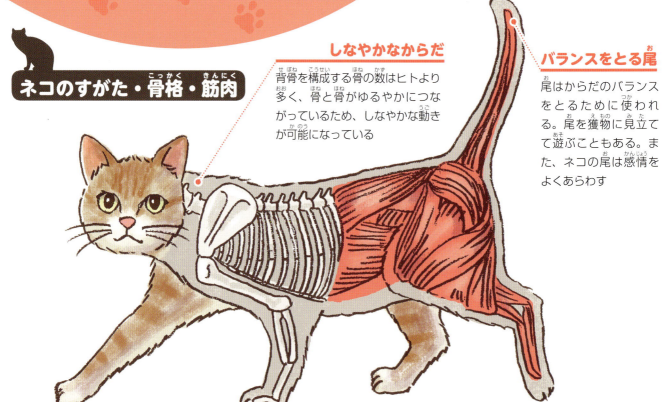

しなやかなからだ
背骨を構成する骨の数はヒトより多く、骨と骨がゆるやかにつながっているため、しなやかな動きが可能になっている

バランスをとる尾
尾はからだのバランスをとるために使われる。尾を獲物に見立てて遊ぶこともある。また、ネコの尾は感情をよくあらわす

狩りに適したからだのつくり

　ネコは本来、ネズミや小鳥などの獲物を狩って食べていました。そのため、ネコのからだは狩りに最適なつくりになっています。
　狩りに必要なのはすばやい動きです。これを可能にしているのが、全身の強い筋肉としなやかな骨格です。ネコの前足は、ヒトの腕のように骨で胴体とつながっているのではなく、筋肉で胴体とつながっています。そのためすばやく自由自在に動かすことができます。また、うしろ足にはがっしりとした筋肉がついているので、高いところへとび上がることも得意です。
　そのほかにも、するどいツメや肉球、ヒゲ、耳、目なども、獲物を見つけたり狩りをしたりするのに適したつくりになっています。

ネコのからだの6ふしぎ

瞳孔の大きさと明るさ・感情の関係

細い瞳孔	ふつうの瞳孔	大きい瞳孔
明るい・攻撃的	ふつう・平常	暗い・おどろきや興味

よく動く耳
耳がよく動き、獲物がいる方向をとらえるのに役立つ

気配を感じとる感覚毛
からだをおおう毛のことを「体毛」といい、短くてやわらかい「下(綿)毛」と長くてかたい「上(剛)毛」がある。また、数は少ないが「感覚毛」が全身にあり、まわりの状況を感じとるのに役立っている

夜でも見える目
黒目の部分を「瞳孔」という。瞳孔の大きさが変わることで、目に入る光の量を調節する。暗い場所では、ネコの目の奥にある「タペータム（輝板）」が光を反射するため、目が光っているように見える。瞳孔の大きさは、ネコの感情によっても変わる

アンテナ代わりのヒゲ
口ヒゲだけでなく、頭や前足にも「ヒゲ」が生えている。とても敏感で、空気の動きも感じることができる

出し入れ自在なツメ
ツメは「腱」でつなぎとめられている。ツメを出すときは、筋肉で足の下側の腱を引っぱる。指は前足に5本、うしろ足に4本ある

やわらかい肉球
足のうらにはやわらかい「肉球」がある。静かに歩いたり、高いところからとび降りて着地したりするときに役立つ。ネコは全身のなかで、肉球でのみアセをかくが、これにはすべり止めの効果があると考えられている

前足の肉球
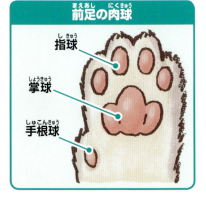
- 指球
- 掌球
- 手根球

ツメの出し方
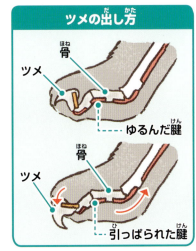
骨・ツメ・ゆるんだ腱／骨・ツメ・引っぱられた腱

第2章 ネコのふしぎ大研究！

動きのふしぎ

耳やしっぽの動きを見れば、
ネコの気持ちがわかる！？

耳の動きと感情

おそれを感じているときや防御の姿勢をとっているときは、耳はうしろや横にたおれる

友好的なときや自信をもって向かい合っているときは、耳は前を向く

とても強い恐怖を感じているときは、頭にはりつくように耳を完全にたおす

ネコの動きと声

　ネコは本来、夜に活動する動物なので、昼間はのんびりとねていることが多いです。そんなネコですが、からだはねていても、耳としっぽはよく動きます。
　耳を動かすのは、物音のする方向へ耳を向けるためです。それ以外に、耳の動きは感情もあらわします。おそれを感じているときや、防御の姿勢をとっているときは、耳をうしろや横にたおします。またそのようなときは、全身やしっぽの毛が逆立っていることもよくあります。

ねているネコに声をかけると、しっぽだけを動かすことがあります。返事をしているのか、放っておいてといっているのかもしれません。ネコがしっぽを高く持ち上げて近寄ってくるときは、親しさを感じている証拠です。これは、子ネコが母ネコに近寄るときに見られるしっぽの動きなのです。警戒したり、防御の姿勢をとったりしているときには、むちを打つように激しくふることもあります。

　ネコはさまざまな鳴き声を出しますが、それらは大きく4つに分類できます。けんかのときの鳴き声、オスとメスの間で使う鳴き声、子ネコと母ネコが使う鳴き声、そしてヒトに対して使う鳴き声です。なでてやると、「ゴロゴロ」とのどを鳴らします。これは気持ちよさや親しさ、愛情を示していると考えられています。おこったときには、「シャーッ」もしくは「フーッ」という声を出します。

しっぽの動きと感情

高く持ち上げているときは、友好や愛情を示している

おどろいたときや恐怖を感じたときは、毛が逆立ち、しっぽが立つ。おもちゃで遊んでいるうちに興奮してきて、毛が逆立つこともある

うしろ足の間にはさんでいるときは、おびえを示している

左右にすばやく動かすときや、ゆかにパタンとたたきつけるときは、イライラや警戒を示している

水平もしくはやや低めに保たれているときは、自信があるかリラックスしている

くせのふしぎ

高いところが大好き！
からだをこすりつけるのはなぜ？

ツメとぎ
ネコの手のひらからもフェロモンが出る。そのためツメとぎをしたところにフェロモンをつけることができる

ネコのくせの6ふしぎ

こすりつけ
ひたいやほおからフェロモンを発するので、頭や顔をとくに強くこすりつける。ネコのフェロモンはネコにしか感じとることができず、ヒトにはわからない

ネコがよくする行動

　ネコは飼い主や家具などに、顔やからだをこすりつけることがよくあります。これはおもに2つのはたらきがあるようです。1つは、自分のにおいと飼い主のにおいを混ぜることです。においを混ぜることで安心感が生まれ、より愛着を感じるのです。親しいネコにも顔やからだをこすりつけます。もう1つは、「マーキング」です。自分のからだから発するフェロモン*をつけることで、「ここは自分のなわばりだ」と主張するのです。

　「ツメとぎ」や「尿スプレー」にもマーキングのはたらきがあります。尿スプレーとは、4

*フェロモン：動物が情報を伝えるためにからだの外に放つ、においなどの化学物質

20

第2章 ネコのふしぎ大研究！

尿スプレー
野外でくらすネコであれば、自分のなわばりを守るために、通り道やなわばりの境界で尿スプレーをする。いつもは尿スプレーをしないネコでも、不安やストレスが高まると尿スプレーをする場合がある

高いところ好き
屋根やへいの上、たなの上などにのぼるのが大好き。家の中で飼うときは、高いところにも行けるような、安心・安全な環境をつくる必要がある

毛づくろい
「グルーミング」ともいわれる。長い毛のネコの場合は、飼い主がブラシなどで毛づくろいを手伝ってあげるのがよい。毛の長短にかかわらず、飼い主にグルーミングをしてもらうのが好きなネコが多い。ストレスがたまりすぎると、毛づくろいのしすぎで毛がぬけてしまうこともあるので注意が必要

遊び攻撃
おさないほどよくみられる行動。おもちゃなどを使って遊んであげることで、飼い主への攻撃をへらすことができる

　本足で立った状態で、うしろに向けておしっこをスプレーのようにふきかけるものです。オスでよくみられる行動ですが、メスでもおこなうことがあります。
　ネコは高いところが大好きです。野外でくらすネコは、よく屋根の上にのっていますが、家の中でくらすネコも、キャットタワー*やたなの上にのぼります。

　子ネコや若いネコは、ひらひらしているものや、飼い主の足にとびつくことがよくあります。これは、「遊び攻撃」と呼ばれます。ネコは生まれつきネズミなどを狩る習性をもっているので、本能でとびついてしまうのです。
　ネコは「毛づくろい」をしょっちゅうしています。全身を舌でなめたり、前足で顔をこすったりして、毛をせいけつに保っているのです。

＊キャットタワー：高いところが好きなネコを室内で飼うときに利用されるペット用品（→p.23）

21

くらしのふしぎ

習性に合った環境をつくることで、
ネコを快適な気分にします。

ネコのトイレ

トイレをする場所の
においをかいだり、
前足で砂をほったり
する

トイレが終わったら、においをかいで、砂をかける。トイレ中は静かにして、砂はせいけつに保つ

ネコを飼うときのポイント

ネコを飼うときには、ネコの習性に合った環境をつくることが大切です。

ネコはもともと砂地のようなところでおしっこやウンコをする習性があります。そのため、家の中でも砂を入れた容器を用意すると、特別に教えなくても、そこでおしっこやウンコをします。

ネコにとってツメとぎは大事な日課です。段ボールや布でできたツメとぎを用意します。またそのツメを使ってネズミなどをつかまえる行動がしたくなるのは、ネコの本能です。おもちゃを用意して、十分に遊んであげましょう。

ネコの習性に合った環境（室内飼い）

- キャットタワー
- ツメとぎ
- ケージ
- ネコ草
- ネコじゃらし

コンセントや危険なものは、ネコがさわれないようにかくしておこう

ツメとぎや高いところ、かくれ場所など、いろいろな環境をつくって、ネコを自由に行動させよう

ストレスがたまらないように、遊んであげることも必要

第2章 ネコのふしぎ大研究！

　遊んであげることで飼い主との親愛も深まります。ネコは単独行動を好む動物だといわれますが、ネコどうしでコミュニケーションをとることもよくおこなわれています。飼い主とのふれあいは、ネコにとって必要なことなのです。
　また、ネコは高いところを好むので、見晴らしのよい場所をつくってあげることも重要です。さらに、かくれ場所も必要です。

　ネコは、イヌに見られるような優位・服従の関係をほとんどきずきません。そのためネコをしかっても、ネコはしかられているとは思いません。逆に、しかった飼い主のことをおそれ、さらなる問題をおこす可能性があります。しかるより先に、からだに異常があるのではないか？　環境に問題はないだろうか？　などを考える方がよいでしょう。

元気のふしぎ

ネコに元気で長生きしてもらうために、
私たちになにができるだろう？

ネコの体調チェック

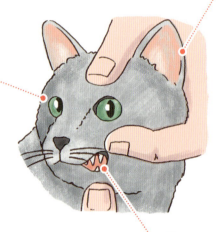

目
表面がうるおって、まぶたのうらがうすいピンク色なら健康。目ヤニが出ていないかもチェックする

耳
耳の中がせいけつでピンク色か、傷がないか、くさくないかなどをチェックする

歯
歯垢がなく、歯ぐきがうすいピンク色なら健康

ツメ
ツメが傷ついてないか、ツメのない指がないかなどをチェックする

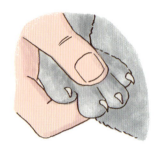

体型
おなかをやさしく手でなでて、ろっ骨がわからなければ太りすぎ

ネコの健康管理

　ネコを飼いはじめたら、責任をもって健康を管理してあげましょう。ネコの習性に合った環境をつくり、日ごろからネコのようすをチェックして、異常は早めに見つけることが必要です。また、かかりつけの病院をもち、定期的に健康診断を受けるのが理想です。年に1回の予防接種のときにあわせてみてもらってもよいでしょう。ネコは自分のケガや病気をかくそうとするので、少しの異常でも気づいてあげることが大切です。
　ネコは基本的に肉食です。また、1回に食べる量は少なく、1日に何度も食べるのがふつうです。室内飼いでは、食べ過ぎによる肥満にも注意が必要です。

ネコの病気

室内で飼われているネコは、野外でくらすネコにくらべて長生きすることが知られています。野外でくらすネコは、おなかの中や皮ふに寄生虫*が住みついたり、さまざまな感染症*にかかったりしやすく、短命になりがちなのです。

室内でネコを飼う場合、こうした病気にかかることは少なくなります。また、予防接種を受けることで感染症を防ぐこともできます。ただし、室内で飼っていると運動不足になったり、ストレスがたまったりして、別の病気にかかることがあります。ネコの異常に気づいたら、動物病院に連れて行きましょう。

寄生虫と感染症

おなかの寄生虫

おなかに住みつく寄生虫には、原虫や線虫、条虫がいる。ウンコにふくまれている寄生虫の卵から感染が広がり、子ネコや弱ったネコでは、命の危険につながることがある

回虫／うりざね条虫

皮ふの寄生虫

ノミとダニが代表的。ひどいかゆみを引きおこす。さまざまな種類の薬があるので、症状に合わせて処方してもらう

ノミ／ダニ

感染症と予防接種

ネコの場合、次の3種類の感染症を予防するワクチン*がもっともよく接種される

猫汎白血球減少症
「パルボウイルス」が引きおこす病気。白血球が減少する

猫ウイルス性鼻気管炎
「ネコヘルペスウイルス1型」が引きおこす病気。かぜのような症状がみられ、目ヤニやくしゃみが増える

猫カリシウイルス感染症
「ネコカリシウイルス」が引きおこす病気。かぜのような症状がみられ、口内炎ができやすい

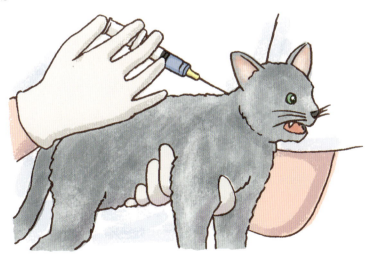

第2章 ネコのふしぎ大研究！

*寄生虫：動物のからだの中や皮ふに取りつき、栄養をもらいながらくらす生き物
*感染症：ウイルスなどがからだの中に入ることでおこる病気
*ワクチン：からだの中に免疫をつくるために、感染症をおこすウイルスを弱くするか、はたらかないようにしたもの

第3章 世界のネコ大集合！

日本とアジアのネコ①

日本ネコは、中国からやってきたネコを祖先にもつと考えられています。

シャム
Siamese

データ	もっとも身近な丸顔ネコ
体重	3～5.5キログラム
特徴・性格	島国の日本で誕生した独特のネコです。顔が丸いこと、もようがはっきりとしていることが特徴です。三毛ネコ*のオスは幸運をもたらすとして大切にされました。

日本ネコ
Japanese Cat

データ	青い目をした細身のネコ
体重	2.5～5.5キログラム
特徴・性格	シャム王朝（現在のタイ）の寺院や王宮で、古くから飼われてきたネコです。体温の低い顔先や足、尾だけに色がつきます。とてもかしこく、元気いっぱいのネコです。飼い主の気をひくために大声を出すことがあり、いたずらもよくします。

＊三毛ネコ：白と黒と赤茶のまだらもようのネコ。メスしか三毛のもようをつくることができないが、遺伝子に異常があるオスが、まれに三毛になることがある

第3章 世界のネコ大集合!

カオマニー Khaomanee

データ タイ生まれの「白い宝石」

体重	2.5〜5.5キログラム
特徴・性格	真っ白なからだで、左右の目の色が異なる「オッドアイ」が多いのが特徴です。社交的でかしこく、いたずら好きなネコです。

コラット Korat

データ 幸運を呼ぶ銀色のネコ

体重	2.5〜4.5キログラム
特徴・性格	タイで古くから飼われてきた青みがかった銀灰色のネコです。遊び好きで甘えん坊ですが、神経質な面もあります。

シンガプーラ Singapura

データ セピアカラーの「小さな妖精」

体重	2〜4キログラム
特徴・性格	シンガポールにいたネコをアメリカで繁殖させた、世界最小品種の1つです。おしゃべり好きで、やんちゃなネコです。

27

日本とアジアのネコ②

長い毛をもつネコで有名なペルシャも、アジアの出身です。

ジャパニーズ・ボブテイル
Japanese Bobtail

データ：日本生まれのアメリカ育ち

体重	2.5～4キログラム
特徴・性格	1968年に日本ネコがアメリカに持ちこまれ、外国のネコと交配*させて生まれた血統です。尾が短いことが特徴です。ひとなつこい性格で、遊び好き、おしゃべりも好きです。美しい声のもち主で、歌うように鳴くことがあります。

ペルシャ
Persian

データ：代表的な長毛種

体重	3.5～7キログラム
特徴・性格	アフガニスタンもしくはイランにいたネコだと考えられています。1600年代にはヨーロッパで大流行しました。丸い目とぺちゃんこの鼻が特徴です。とてものんびりとしたおとなしいネコで、長い毛をよく手入れしてやる必要があります。

＊交配：オスとメスをかけあわせること。ここでは、ネコの品種育成のためにおこなわれることをいう

第3章 世界のネコ大集合！

バーミーズ Burmese

データ

とってもひとなつこい

体重	3.5〜6.5キログラム
特徴・性格	ミャンマーにいた茶色のネコとシャムを交配させた血統です。からだは筋肉質で、とてもひとなつこいネコです。

バーマン Birman

データ

長い毛と青い目をもつ

体重	4.5〜8キログラム
特徴・性格	ミャンマーの寺院で飼われていたとされる、毛がとても細いネコです。おとなしく、おおらかな性格をしています。

チャイニーズ・リー・ファ Chinese Li Hua

データ

中国ではおなじみ

体重	4〜5キログラム
特徴・性格	中国で何世紀も前から飼われていた、世界でもっとも古い飼いネコの1つです。かしこく、活動的なネコです。

29

アメリカのネコ

アメリカは、ネコの品種育成がとても盛んな国です。

アメリカン・ショートヘア
American Shorthair

データ

船に乗ってやってきた

体重	3.5〜7キログラム
特徴・性格	17世紀、ヨーロッパ人がアメリカ大陸へ移り住むとき、ネズミとりのために船に乗っていたネコがこの品種の祖先です。からだつきはたくましく、病気にかかりにくいネコです。また、頭もよく、遊びが大好きな一面もあります。

データ

気のやさしい大きなネコ

体重	4〜7.5キログラム
特徴・性格	アメリカ東北部のメイン州でくらしていた、アライグマに似たネコです。大きめのからだと長い毛が特徴です。きげんがよいときは、鳥のさえずりのような小さくやわらかい声を出します。性格はたいへんおだやかです。

メイン・クーン
Maine Coon

第3章 世界のネコ大集合！

アメリカン・カール
American Curl

データ そりかえった耳をもつ

体重	3〜5キログラム
特徴・性格	耳がうしろにそりかえっているのが特徴です。突然変異で生まれました。愛情深く、頭もよいネコです。

データ とっても足の短い

体重	2.5〜4キログラム
特徴・性格	突然変異で生まれた、短足のネコです。運動は得意ですが、ジャンプは苦手です。

マンチカン
Munchkin

ベンガル
Bengal

データ ヤマネコのような斑点をもつ

体重	5.5〜10キログラム
特徴・性格	ベンガルヤマネコと飼いネコを交配させたネコです。とても好奇心が強く活発なので、心身ともにエネルギーを発散させてあげる必要があります。

31

イギリスのネコ

イギリスは、世界でいち早く
ネコの品種育成に力を注ぎました。

ブリティッシュ・ショートヘア
British Shorthair

データ｜もっとも古い純血種の1つ

体重 4〜8キログラム

特徴・性格 イギリスにいたネコを何十年も交配させてつくられた純血種です。1871年、世界初の組織的なキャット・ショーに出場しました。おだやかでやさしく、おとなしく過ごすことを好みます。病気にかかりにくく、長生きします。

スコティッシュ・フォールド
Scottish Fold

データ｜折れた耳がチャームポイント

体重 2.5〜6キログラム

特徴・性格 スコットランドの農場で、突然変異によって生まれた血統です。前に折れ曲がった耳が特徴で、折りたたむという意味の「フォールド」が名前についています。ヒトによくなつき、温厚でがまん強い性格をしています。

第3章 世界のネコ大集合！

バーミラ Burmilla

データ
偶然が生んだ美しいネコ

- **体重**: 4～7キログラム
- **特徴・性格**: バーミーズとチンチラ・ペルシャの偶然の交配によって生まれた血統で、目のふちどりが特徴です。遊び好きで友好的な性格です。

マンクス Manx

データ
尾のないネコ

- **体重**: 3.5～5.5キログラム
- **特徴・性格**: イギリス本土とアイルランドの間にあるマン島原産の尾のないネコです。小さな尾や長い尾のあるものが生まれることもあります。おだやかで遊び好きな、かしこいネコです。

コーニッシュ・レックス Cornish Rex

データ
ちぢれた毛をもつ

- **体重**: 2.5～4キログラム
- **特徴・性格**: コーンウォール地方のコーニッシュ農場で突然変異によって生まれました。名前はちぢれた毛をもつ「レックスウサギ」にちなむものです。活発で頭がよく、社交的な性格です。

世界のネコ①

ネコはふつう水をきらいますが、
泳ぎが大好きなネコもいます。

ターキッシュ・アンゴラ
Turkish Angora

サイベリアン
Siberian

データ｜極寒でもくらせる

原産国	ロシア
体重	4.5〜9キログラム
特徴・性格	ロシアの厳しい寒さにもたえる、分厚い毛でおおわれているのが特徴です。ネコはふつう1年ほどで完全なおとなになりますが、サイベリアンは5年かそれ以上かかります。好奇心が強く、ひとなつこい性格です。

データ｜かがやくような毛をもつ

原産国	トルコ
体重	2.5〜5キログラム
特徴・性格	長毛種としてはもっとも古いともいわれる、歴史あるネコです。かがやくような毛が美しく、とくに首のまわりはふさふさしています。左右の目の色が異なる「オッドアイ」が多いのも特徴です。とてもかしこく、友好的です。トルコでは、純血種の保護に力を注いでいます。

第3章 世界のネコ大集合！

シャルトリュー Chartreux

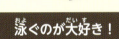

データ
オレンジ色の目が特徴

原産国	フランス
体重	3〜7.5キログラム
特徴・性格	青みがかった灰色の毛とオレンジ色の目が特徴です。声が小さく、落ち着きがあるネコですが、すばやい動きを見せることもあります。

ターキッシュ・バン Turkish Van

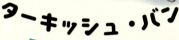

データ
泳ぐのが大好き！

原産国	トルコ
体重	3〜8.5キログラム
特徴・性格	トルコのバン湖から名づけられています。頭と尾だけにもようがあります。泳ぎが好きなめずらしいネコです。

ロシアン・ブルー Russian Blue

データ
緑色の目をもつスリムなネコ

原産国	ロシア
体重	3〜5.5キログラム
特徴・性格	青みがかった灰色の毛と緑色の目が特徴です。人見知りをしますが、なれれば愛情深く、とてもかしこいネコです。

35

世界のネコ②

極寒の地からアフリカまで、
世界にはいろいろなネコがいます。

エジプシャン・マウ
Egyptian Mau

スフィンクス
Sphynx

データ

毛なしネコの代表

原産国	カナダ
体重	3.5～7キログラム
特徴・性格	短く細い毛がありますが、毛がないように見えるため、「ヘアレス・キャット」と呼ばれています。突然変異で生まれた品種です。温度管理や日焼け防止、定期的なシャンプーが必要です。性格は陽気で社交的です。

データ

エジプト生まれの繊細なネコ

原産国	エジプト
体重	2.5～5キログラム
特徴・性格	もっとも古い飼いネコの1つで、古代エジプトの壁画にもエジプシャン・マウに似たネコが描かれています。斑点のもようが特徴です。繊細で人見知りをしますが、いったん家族になれば飼い主によくなつきます。

アビシニアン
Abyssinian

データ	もっとも古いネコの1つ
原産国	エチオピア（推定）
体重	4～7.5キログラム
特徴・性格	アビシニア（現在のエチオピア）原産といわれますが、はっきりわかっていません。長い足が特徴で、とてもかしこく活動的なネコです。

トンキニーズ
Tonkinese

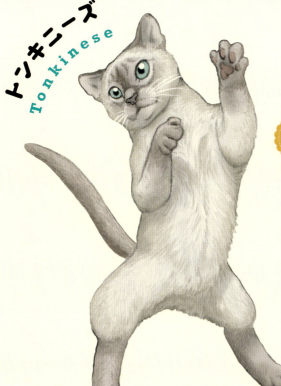

データ	2つのネコのいいとこどり
原産国	カナダ
体重	2.5～5.5キログラム
特徴・性格	シャムとバーミーズを交配させてつくられました。ヒトによくなつき、遊び好きで病気にかかりにくいネコです。

ノルウェージャン・フォレスト・キャット
Norwegian Forest Cat

データ	北欧の森が育てたネコ
原産国	ノルウェー
体重	3～9キログラム
特徴・性格	古くからノルウェーの森や農場でくらしてきた、狩りの名手。ヒトによくなつき、やさしいネコです。完全なおとなになるのに5年ほどかかります。

第3章 世界のネコ大集合！

さくいん

あ行

遊び攻撃	21
アビシニア	37
アビシニアン	37
アフガニスタン	28
アフリカ	36
アメリカ(大陸)	3,27,28,30
アメリカン・カール	31
アメリカン・ショートヘア	30
イエネコ(系統)	2,3,7
イギリス	32,33
イラン	28
うりざね条虫	25
ウンコ	22,25
運動不足	25
エジプシャン・マウ	36
エジプト(人)	7,8,9,36
エチオピア	37
江戸時代	12,13,14
尾(しっぽ)	3,16,18,19,26,28,33,35
オオヤマネコ(系統)	3
おしっこ	21,22
オセロット(系統)	3
オッドアイ	27,34

か行

回虫	25
飼いネコ	2,3,7,13,29,31,36
カオマニー	27
かくれ場所	23
かざり毛	3
カナダ	36,37
下(綿)毛	17
カラカル(系統)	3
狩り	2,16,37
感覚毛	17
感情	16,17,18,19
感染症	25
カンビュセス王	9
寄生	11
寄生虫	25
キャットタワー	21,23
筋肉	16,17

さ行（黒ネコ等）

黒ネコ	10,11
ケージ	23
毛づくろい(グルーミング)	21
血統	28,29,32,33
腱	17
健康管理	24
弘徳寺	14,15
豪徳寺	14,15
口内炎	25
交配	28,29,31,32,33,37
コーニッシュ・レックス	33
こすりつけ	20
古代エジプト	6,7,11,36
骨格(骨)	7,16,17
コラット	27
ゴロゴロ(声)	2,19

さ行

サイベリアン	34
指球	17
ジャパニーズ・ボブテイル	28
シャム	26,29,37
シャム王朝	26
シャルトリュー	35
手根球	17
純血種	32,34
掌球	17
上(剛)毛	17
白ネコ	14,15
シンガプーラ	27
シンガポール	27
スコティッシュ・フォールド	32
ストレス	21,23,25
スフィンクス	36

た行

ターキッシュ・アンゴラ	34
ターキッシュ・バン	35
タイ	26,27
体型	24
体毛(毛)	17,18,19,21,28,29,30,33,34,35,36
高いところ	16,17,20,21,23
ダニ	25
タペータム(輝板)	17

チャイニーズ・リー・ファ	29
中国	26,29
チンチラ・ペルシャ	33
ツメ	2,16,17,24
ツメとぎ	20,22,23
トイレ	22
瞳孔	17
突然変異	31,32,33,36
トルコ	34,35
トンキニーズ	37

な行

鳴き声	2,19
鍋島の化けネコ騒動	12,13
なわばり	20,21
肉球	16,17
肉食	24
日本	26,28
日本ネコ	26,28
尿スプレー	20,21
猫ウイルス性鼻気管炎	25
ネコ科	2,3
ネコカリシウイルス	25
猫カリシウイルス感染症	25
ネコ草	23
ネコじゃらし	23
猫汎白血球減少症	25
ネコヘルペスウイルス1型	25
ネコマタ	12,13
ネズミ	7,11,16,21,22,30
ノミ	11,25
ノルウェー	37
ノルウェージャン・フォレスト・キャット	37

は行

歯	24
バーマン	29
バーミーズ	29,33,37
バーミラ	33
化けネコ	12
鼻	28
パルボウイルス	25
バン湖	35
ヒゲ	16,17

肥満	24
ピューマ(系統)	3
病気	24,25,30,32,37
ヒョウ(系統)	2,3
品種育成	28,30,32
フェロモン	20
フランス	35
ブリティッシュ・ショートヘア	32
ヘアレス・キャット	36
ペスト	11
ペルシア(兵)	8,9
ペルシャ	28
ベンガル	31
ベンガルヤマネコ(系統)	3,31
ボルネオヤマネコ(系統)	3

ま行

マーキング	20
魔女	10,11
招きネコ	14,15
魔法使い	11
マンクス	33
マンチカン	31
マン島	33
三毛ネコ	26
耳	3,16,17,18,24,31,32
ミャンマー	29
目	16,17,24,26,27,28,29,33,34,35
メイン・クーン	30
目ヤニ	24,25

や行

ヨーロッパ(人)	11,28,30
予防接種	24,25

ら行

リビアヤマネコ	3,7
レックスウサギ	33
ロシア	34,35
ロシアン・ブルー	35

わ行

ワクチン	25

※赤文字の用語は、赤数字のページに＊で説明をおぎなっています。
※青文字の品種は、第3章で原産国、体重、特徴・性格を解説しています。

もっと知りたい！元気のふしぎ

ネコには、からだのしくみや習性から、かかりやすい病気があります。
（→ p.24〜25を見てみよう！）

食道　胃　毛玉　十二指腸

毛玉をはく

ネコは、毛づくろいをするときに飲みこんだ毛をはくことがあります。そのときに、食べたエサがいっしょに出てくることもありますが、ネコが元気そうなら問題はありません。しょっちゅうはいたり、血が混ざっていたりする場合は、動物病院に連れて行きましょう。

ふつう、ネコが飲みこんだ毛は、胃から腸を通り、ウンコとして体外に出ます。ところが、飲みこむ量が多いと体内にたまり、胃の中で固まりになってしまいます。すると、たまった毛玉が胃の内側を刺激したり、胃から腸への出口をふさいだりして、胃腸のはたらきを悪くしてしまいます。

そうしたネコは食欲をなくし、やせてしまうこともあります。このように、毛玉を出せないでいる状態を「毛球症」と呼びます。